FÁBULAS DE ESOPO

Coquito

Versión escolar adaptada por:
Everardo Zapata Santillana
(Serie de seis volúmenes)

4

©**Derechos de adaptación pedagógica:**
Everardo Zapata Santillana

Editado por:
EDICIONES DENE S.A.
Av. Brasil 2985,
Magdalena del Mar - Lima 17 Perú
Teléfono: 463-0334

Impreso en:
QUAD/GRAPHICS PERÚ S.A.
Av. Los Frutales 344
Lima 3 - Perú

Distribuido por:
Distribuidora Gráfica S.A.
Av. Brasil 2985,
Magdalena del Mar - Lima 17 Perú
Teléfono: 261-3958

Diseño Gráfico:
Carlos A. Guevara B.
Ilustraciones:
Jorge Alva Bejarano

Proyecto Editorial
N° **31501201300007**

Hecho el Depósito Legal en
La Biblioteca Nacional del Perú
N° **2012-16839**

ISBN : 978-9972-2540-8-6

Año : **2013**
Edición: Primera
Reimpresión: Segunda
Tiraje: 12,000 ejemplares
Año de 1ra. Edición 2008

3

PRESENTACIÓN

Las fábulas son composiciones literarias breves, escritas en prosa o en verso, que trasmiten un mensaje valorativo, motivando la comprensión y ejercicio de los valores a partir de la ficción y fantasía.

Para esto, personifican seres racionales, irracionales e inanimados, siendo el hombre y los animales los personajes preferidos que actúan en escenarios diversos y situaciiones de la vida diaria.

Esopo, el autor de las fábulas que esta vez ofrecemos, escribe para todos los tiempos y las edades, por lo tanto, su lectura siempre es pertinente y valiosa para niños y adultos, por lo que Ediciones Coquito ha recopilado, en seis volúmenes, las más interesantes y pertinentes fábulas creadas por este inteligente griego.

La fabulación es frecuente en niños de corta edad. Ellos inventan relatos, crean amigos imaginarios y su fantasía se fortalece si los padres les relatan las historias que presentamos. Con su lectura se puede fortalecer los valores y evidenciar y corregir los antivalores, ya que la adaptación escolar utiliza el estilo narrativo, diversifica los personajes y enfatiza los escenarios con un lenguaje sencillo, que permite al lector o narrador hacer suyo el mensaje valorativo.

La moraleja o el pensamiento anotado en cada fábula, amplía la intención literaria y educativa, siendo muchos de estos mensajes creación del firmante. Con la adaptación a las fábulas de Esopo, se trata de motivar el interés y amor del niño por la lectura y el contacto con el libro, situaciones importantes para lograr buenos lectores y evitar la ludopatía que provoca la diversidad de juegos electrónicos que despiertan, desde corta edad, una afición desmedida.

La lectura es una práctica programada que, cuanto más se usa, eliminina las dificultades del lector para la comprensión de textos y acceso al conocimiento. Un buen lector o una buena lectora tiene más posibilidades para ser un buen hombre o una buena mujer de éxito.

La presente obra está dirigida a padres, maestros y alumnos. Su lectura abrirá en los lectores un mundo maravilloso de fantasía y los motivará a ejercer los valores como motivo de vida en una comunidad sana.

Everardo Zapata Santillana.

4

ORIENTACIONES TECNOLÓGICAS

Leer es una habilidad lingüística que supone como base pronunciar las palabras y entonar la lectura para llegar a comprender el mensaje que el autor trasmite en un escrito.

El logro de la comprensión lectora exige un permanente entrenamiento en la educación básica (primaria y secundaria) con materiales atractivos, interesantes y con diversidad temática para ubicar las lecturas dentro de textos narrativos, informativos y literarios correspondientes a los diferentes grados y niveles de desarrollo, intereses y necesidades de los niños y niñas.

Facilita la comprensión lectora una oralización y entonación correcta y el parafraseo que consiste en traducir los textos en otras palabras (de su universo vocabular), resumiendo el texto original.

La literatura, y entre ella la fábula, es un medio valioso para la educación en valores y comprensión lectora.

En los índices parciales se sugiere el valor o antivalor de cada fábula: pero es el alumno quien debe ubicarlo.

Pasos tecnológicos en la lectura de fábulas:

A fin de facilitar la comprensión de la fábula, se debe seguir los siguientes pasos. Teniendo como ejemplo la fábula **"El pavo real y la mariposa"** de la Pág. 97.

1. Lectura expresiva por el maestro:

   a) Lectura del título.
   b) Ubicación de los animales en la ilustración.
   c) Lectura por párrafos.
   d) Lectura dramatizada del diálogo.
   e) Lectura del refrán.

2. Breve reseña del autor:

El autor es Esopo, esclavo griego que vivió 620 a.C., recopiladas por el monje griego Planudes siglo XIV d.C., adaptadas por Ediciones Coquito.

3. **Ubicación de la idea principal:**
La bondad.

4. **Ubicación del tipo de texto, según la intención del autor:**
Literario narrativo: Fábula

5. **Las ideas:**
Personajes: La mariposa, el pavo real, el castor.
Escenario: Una granja a orillas de una laguna.

6. **Las acciones:**
   a) Una mariposa se encontró con un hermoso pavo real.
   b) La mariposa admiró la belleza del pavo real.
   c) El pavo real le dijo que la belleza no era la mejor cualidad de un pavo real.
   d) La mariposa siguió volando y cayó en un estanque.
   e) El pavo real se lanzó al agua y la salvó, pero al salir su hermosa cola quedó atascada en unas piedras.
   f) La mariposa avisó a un castor que liberó al pavo real.
   g) El pavo real, la mariposa y el castor festejaron la salvación de la mariposa y el pavo real.

7. **Palabras y giros.**
   a) Elocución: Lectura del diálogo y parafraseo de la narración.
   b) Interpretar el refrán: "La belleza es una cualidad, pero la bondad es cualidad y utilidad porque puede salvar la vida".
   c) Vocabulario: Cualidad, estanque, intentar, atascada, liberó, maltrato, festejar.
   Subrayar las palabras que se explican en el contexto.
   Investigar las que se desconoce.
   Formar oraciones con las palabras investigadas.

8. **Ejercicios:**
   a) Producción de textos. Narración usando: Había una vez..., Luego..., Finalmente...
   b) Mensaje: La bondad es más útil que la belleza.
   c) Ilustrar la narración usando viñetas.
   d) Representación de roles. Escenificar la fábula.

PRIMERA PARTE

Fábula	Valor	Antivalor
El leñador honrado	Honestidad *	Deshonestidad
El león apresado y ...	Prudencia	Imprudencia *
La corneja fugitiva	Libertad *	Esclavitud
El labrador y la fortuna	Gratitud *	Ingratitud
El caballo y el jumento	Paciencia	Envidia *
El ratón y la comadreja	Templanza	Gula *
La zorra y la careta	Sinceridad *	Falsedad
El león achacoso	Respeto *	Desprecio
El hijo pródigo y ...	Prudencia	Imprudencia *
La zorra y el jabalí	Confianza *	Desconfianza
El milano y la culebra	Justicia *	Injusticia
La cabra y el caballo	Humildad	Orgullo *
El caballero y su corcel	Ayuda *	Estorbo
Los ladrones y el gallo	Fortaleza *	Debilidad
El cangrejo y la zorra	Confianza *	Desconfianza
El cazador y la alondra	Veracidad	Mentira *
La viña y el chivo	Cuidado	Descuidado *
El asno y el comprador	Confianza	Desconfianza *
La zorra y el espino	Seguridad *	Inseguridad
La viuda y las sirvientas	Trabajo	Pereza *
El niño y el caminante	Prudencia	Imprudencia *
El herrero y el perro	Trabajo	Pereza *
El león, la zorra y el ciervo	Sobriedad	Ambición *

(*) Mensaje valorativo

8

El leñador honrado

Un viejo leñador, sin darse cuenta, hizo caer su hacha al río. Sentado en la ribera, lloraba porque no tendría en adelante con qué ganar el sustento.

Entonces se presentó un hada y sumergiéndose en el agua, extrajo una hacha de oro y la dio al leñador.

—Esta no es mi hacha —la rechazó el hombre.

—Entonces el hada volvió con una hacha de plata.

—Tampoco es ésa.

El hada, por su honradez, le entregó las tres hachas.

De retorno, el hombre contó a otro leñador lo sucedido. Y éste, ni corto ni perezoso, arrojó su hacha al río y lloró.

El hada emergió con una hacha de oro y le dijo:

—¿Es ésta tu hacha?

—¿Sí, esa es la mía! —grito el ambicioso.

El hada disgustada, se fue llevando consigo la de oro, dejando en el agua el hacha del embustero.

Quien con la honradez no se aviene,
pierde hasta lo que tiene.

9

El león apresado y el labrador

Por la comarca merodeaba un león que hacía estragos en la hacienda de los campesinos.

—Cuando aparezca este animal procuraremos atraparlo —fue la orden de la asamblea de granjeros.

Una noche, el león ingresó en el corral de un labriego quien, con el fin de apresarlo, trancó la puerta principal.

A la mañana siguiente advirtió que la fiera había devorado sus ovejas y comenzaba a matar los bueyes.

Temiendo por su vida, el hombre abrió la puerta y dejó al león en libertad.

Su mujer, al oír que el labrador se lamentaba, dijo:

—¡Bien merecido lo tienes! ¿Quién te ordenó que encerraras al león si también se come a la gente?

Al que se equivoca por tonto,
el castigo le viene pronto.

La corneja fugitiva

Un hombre vendó cuidadosamente la pata a una corneja, que cayó prisionera en una trampa y, de regreso a casa, la obsequió a su hijo.

Cómo es de advertir, la corneja acostumbrada a vivir en libertad, sufría mucho en el cautiverio.

En un momento de descuido del niño, la plumífera echó a correr en pos de libertad, pero la venda que llevaba en la pata se enredó en unos abrojos.

Entonces el ave, advirtiendo su muerte segura, se lamentaba de este modo:

—¡Cuánta desventura me persigue! Pude evitar la esclavitud de los hombres, pero no de estos abrojos que me condenan a morir.

**Salvas del peligro mayor,
pero sucumbes ante el menor.**

El labrador y la fortuna

Un labrador que, desde la salida del sol, removía sus tierras para la siembra, encontró una vasija repleta de monedas de oro y dijo:

—¡Oh, Madre Tierra, gracias te doy por los dones que me otorgas!

Mientras así agradecía, iba arrojando en los surcos una moneda de oro, en la creencia de que la Tierra le había entregado semejante tesoro.

La Fortuna, en vista de esta pródiga conducta, recriminó al labrador de esta manera:

—Dime, amigo, ¿por qué agradeces a la Tierra si la riqueza te la otorgué yo? Si cambiara la situación y las monedas pasaran a otras manos, segura estoy que culparías a la Fortuna.

**_Siempre reconoce a quien
puso en tus manos el bien._**

El caballo y el jumento

Hubo un asno que compartía la misma cuadra con un soberbio caballo.

—No comprendo por qué al caballo le dan pienso selecto y le colocan vistosos arreos; entre tanto a mí me someten a duros trabajos —se quejaba el asno.

Y, como movido por un resentimiento, añadió:

—¡Injusticias de la vida! Es una odiosa discriminación, que no toleraré.

Al día siguiente se oyeron clarinadas de guerra y el caballo, en el acto, fue sacado con precipitación.

De pronto, se escucharon lamentos de muerte; olor de sangre y humo de incendios saturó el ambiente. A poco el caballo entró malherido, y el borrico se dijo:

—Ya voy entendiendo la cosa. Ahora, en mi pobreza y hambruna, continúo viviendo. ¡Bendita mi suerte!

**La fortuna no siempre es una;
múdase como la Luna.**

El ratón y la comadreja

En cierta ocasión acertó a pasar junto a una ratonera, llena de golosinas, un flaco y hambriento ratón, que ingresó por un agujerito.

—Qué ricos manjares hay aquí —pensaba mientras engullía cuanto podía.

Cuando quiso salir no pudo hacerlo, pues había engordado de tal manera que no pasaba por el hueco.

En su desesperación notó la presencia de una comadreja que estaba afuera, a quien pidió su ayuda.

—Conozco la forma de salir de la ratonera —le dijo ésta y, mirándole con aire de suficiencia, añadió:

—Espera ahí hasta que estés tan flaco como cuando entraste...

Es probable que el ratón jamás saliera, pues habría muerto de hambre.

Mientras el mal persevera,
sufre y espera.

La zorra y la careta

Era una temporada en que los rebaños de ovejas fueron doblemente resguardados, en vista del ataque que hacían entre ellas las raposas.

Una zorra, que deambulaba sin probar bocado desde hacía varios días, se dijo:

—Entraré al pueblo cuando caiga la noche. Tal vez encuentre algo con qué aplacar mi apetito.

Así, caminando por las calles, vio abierta una puerta e ingresó. Resultó ser la casa de un actor.

Luego, buscando entre los objetos, encontró una careta de yeso, cuyo acabado revelaba buen gusto y maestría. La tomó entre sus patas, la miró extasiada, y pronunció:

—¡Bellísima cabeza! Lástima que no tenga sesos.

***Belleza sin talento,
veleta es sin viento.***

El león achacoso

El paso inexorable de los años obligó a un león achacoso a escudarse en sus recuerdos. Reunió a sus súbditos e impuso a otro joven león la corona, diciendo:

—¡He aquí el nuevo rey! ¡Guárdenle obediencia!

Terminada la coronación se contaban maravillas de la vida del ex monarca, al punto que unos cachorrillos, al saberlo, decidieron oírlas de su propia boca.

La presencia de los pequeños alegró al anciano quien, al concluir su relato, añadió:

—¡Ah, los tiempos idos; lástima que no vuelvan!

Uno de los cachorros le interrumpió:

—No se ponga triste, su merced. Ud., ingresó a la Historia y el olvido no le alcanzará. La vida hay que aceptarla como es. No sirve refugiarse en el pasado, pues la vejez es linda como la infancia.

Que los años no causen llanto,
porque toda edad tiene su encanto.

16

El hijo pródigo y la golondrina

Un muchacho, heredero de cuantiosa fortuna, dilapidó en brevísimo tiempo el esfuerzo de largos años que su padre empleó en adquirirla.

Habiendo derrochado todo, le quedó solo una mezquina capa para abrigarse en las noches de invierno.

En tal pobreza vio a una golondrina furtiva antes de la primavera y, el hijo pródigo, creyendo llegada la estación de las flores, vendió su capa.

Retornó el mal tiempo y, mientras el joven se paseaba tiritando, encontró a la golondrina muerta, helada por el frío.

—Desdichada avecilla —pensó para sí—, tu muerte me condena a morir como tú, en este frío invierno.

***Por seguir suerte ajena,
la tuya se condena.***

La zorra y el jabalí

Buen día, amigo jabalí —saludó la zorra zalamera a un paquidermo que afilaba sus puntiagudos colmillos en el tronco de un árbol.

—¿A qué tanta prisa si no hay caza a la vista? —insinuó la zorra.

—No lo hago —respondió el jabalí— porque voy a servirme algo ahora mismo.

Y, mirando fijamente a la astuta y relamiéndose el hocico, añadió:

—Pero dime, amiga, si se me presenta la caza, ¿crees que recién debo afilar los dientes? No..., es pues, necesario estar preparado.

—Razón te sobra —dijo la zorra—. Cuando no tengo nada que hacer, yo también aguzo el ingenio.

Donde falta la previsión,
faltará la provisión.

El milano y la culebra

Una distraída culebra dormitaba sobre unas rocas bañadas por los rayos del sol primaveral.

De pronto apareció un milano que se lanzó, en picada, sobre el reptil, llevándoselo por los aires entre sus fuertes garras.

La culebra, en su desesperación, atinó a morder al raptor quien, sintiéndose mal herido, cayó vertiginosamente a un profundo barranco.

A causa de las magulladuras sufridas por el golpe contra las piedras, el milano pereció casi al instante.

La culebra, que había caído sobre el ave, se recobró del susto y, viendo a su enemigo sin vida, exclamó:

—¡Este es el precio a tu necedad! ¿Qué daño te hice para que intentaras matarme? ¡Ahora en ti recae el mal que preparaste para mí!

***El mal da vuelta,
y al autor no lo suelta.***

La cabra y el caballo

Un caballo y una cabra compartían el mismo establo.

Por las mañanas llevaban al caballo a un prado con pastos de primera clase, mientras que la cabra se contentaba con la seca hierba de los cerros.

—A ti te dan pasto de pésima calidad —decíale el caballo—. ¡Uac, qué asco! Jamás lo soportaría mi fino paladar.

La cabra callaba con humildad; pero un día el caballo fue cambiado por otro más joven, que le quitó el derecho al mejor pasto, debiendo compartir con la cabra la despreciada hierba de los cerros.

—¿Conque eres incapaz de comer este pasto? —dijo la cabra. Y añadió—: Si no quieres morir tendrás que tragar tu propio orgullo.

Nunca digas sin prever:
de esta agua no he de beber.

El caballero y su corcel

Has sido fiel y valiente, pero ahora descansarás un tiempo —dijo un caballero a su corcel.

En aquel momento acertó pasar un carretero que se interesó por el noble animal.

—Lo necesito para que tire de mi carromato y pagaré por él buen precio —ofertó el hombre.

Hecho el trato, el hermoso animal fue sometido a duro trabajo, poco alimento e incesante látigo.

Estalla nueva guerra, el caballero recupera el fiel animal, lo peina, le da buena comida y trotan hacia el combate.

En la contienda caballo y caballero sucumben. Antes de morir el corcel dice a su amo:

—Has reparado muy tarde tu falta. Recuerda que yo era brioso alazán. Hoy me has convertido en asno.

Corrige con oportunidad,
y evita mayor maldad.

Los ladrones y el gallo

Cierto día unos ladrones ingresaron a una casa para robar. Ya adentro, buscando aquí y allá, encontraron un gallo que, hecho prisionero, cargaron con él.

El gallo, en poder de los indeseables, en el camino les decía, disimulando su temor de parar en la olla:

—Señores ladrones, yo no tengo la culpa de su mala suerte al no encontrar nada. Déjenme libre que de nada puedo servirles, pues en casa solo me utilizaban para despertar a los trabajadores.

—¿Dejarte así no más? No..., —contestaron malhumorados los malandrines, añadiendo a continuación:

—Precisamente, por lo que dices, vamos a comerte.

¿No te das cuenta, canalla, que si despiertas a los dueños no nos dejarían robar? ¡A la olla, tontuelo!

**A presurosa demanda,
espaciosa respuesta.**

El cangrejo y la zorra

¡Qué suavecita y tibia es la arena de la playa! —se decía un cangrejo que buscaba alimento.

Luego, el cangrejo trepó a una roca para atrapar algo con qué aplacar su hambre, cuando fue descubierto por una zorra que también estaba en los mismos apuros.

La astuta avivó el ingenio y ceremoniosa le dijo: —¡Buenos días, compadre! ¿cómo va de salud?

A esto, el crustáceo contestó:

—Muy mal, señora; el alimento está escaso.

—Aquí hay muchos insectos —le insinuó la raposa—, baje si gusta y comerá.

El incauto cangrejo obedeció, pero cayó en las mandíbulas de la zorra. Antes de morir, sentenció:

—¡Muerte merecida tengo por querer sobrevivir en la tierra, siendo criatura del mar!

**Cabeza sin seso,
es de poco peso.**

El cazador y la alondra

Un cazador, desde muy temprano, tendía redes y colocaba trampas en el bosque para cazar pájaros.

Una alondra, que lo observaba desde la rama de un árbol, le preguntó:

—¿Qué haces con tanto afán y tan de madrugada?

—¿No te das cuenta que trato de fundar una nueva ciudad? —y diciendo esto se alejó hacia un escondite.

El avecilla, dando fe a lo que el hombre decía y, movida por su curiosidad, se aproximó al lugar y quedó prisionera en una de las redes.

El cazador que estuvo atento, corrió a su encuentro para ponerla en una jaula; entonces, la alondra le dijo:

—¡Qué buena manera de fundar ciudades! ¡A este paso nadie querrá vivir en ellas!

Una vez se engaña al prudente,
y mil al inocente.

24

La viña y el chivo

Al volver la primavera, los frutales comienzan a reverdecer y sus brotes turgentes anuncian que pronto se adornarán de flores y apetitosos frutos.

Así sucedía con una viña que se revelaba pródiga en yemas y tiernas hojas.

Un chivo que había ingresado, sabe Dios cómo, se paseaba entre las parras, diciendo:

—Qué magníficos y tiernos están los brotes—. Y mordisqueaba con avidez aquí y allá.

Entonces, la viña, molesta por la conducta depredadora del chivo, le lanzó esta advertencia:

—¿Por qué te afanas en hacerme daño? ¿Crees que de esa manera no daré el vino necesario para cuando te sacrifiquen?

Hay quien llena su mesa,
olvidando que de otro será la presa.

El asno y el comprador

Un hombre halló en la feria un asno e, impresionado por su porte distinguido y paso firme, decidió adquirirlo.

—Le compro el burro —dijo al dueño—, pero a condición de probarlo antes.

El comprador llevó a su casa al borrico y, al soltarlo en el pesebre, el recién adquirido se fué junto a otro asno que se distinguía por glotón y marrullero.

Cuando el hombre retornó al pesebre vio que se llevaba a las mil maravillas con el asno holgazán, por lo que devolvió en el acto al jumento. Entonces, el vendedor le reprochó:

—¿Cómo? ¿Tan pronto pudiste probarlo?

—No era necesario mayor prueba —respondió el comprador—. Estoy seguro que debe ser igual al compañero que escogió.

**Dime con quien andas,
y te diré quien eres.**

La zorra y el espino

Una zorra, acostumbrada a robar, traspuso, en cierta ocasión, una cerca en procura de presa.

Lo tenebroso de aquel momento no le permitió ver que, detrás de la cerca, crecía un espino, cayendo sobre él al dar un salto en falso.

Las púas, que se clavaron en sus patas y en el cuerpo, le produjeron dolores insoportables, obligándola a reprochar al espino de esta manera:

—¡Me apoyé en ti buscando seguridad, en cambio tú, malvado, me hieres despiadadamente!

El espino, sorprendido por la conducta de su ocasional víctima, respondió:

—Tú eres la culpable de esta desventura, querida amiga, pues acostumbrada como estás a coger presas, te prendiste de mí, confundiéndome con ellas.

**Justo es el mal que viene,
si lo busca el que lo tiene.**

La viuda y las sirvientas

Se cuenta de una viuda, muy trabajadora, que tenía dos guapas doncellas para labores domésticas.

Al mismo tiempo, engreía a un gallo que la despertaba muy de madrugada y con ella a las sirvientas.

—¿Te das cuenta que el gallo es el causante de nuestra dura labor matinal? —dijo una de ellas—, será mejor que vaya a la olla. —Y así lo hicieron.

Cuando el plumífero hubo desaparecido y no habiendo quien anunciara la hora de salir del lecho, la viuda despertaba mucho más temprano.

—¡Arriba, holgazanas! —les decía—. Es hora de iniciar el trabajo.

Las chicas se recriminaban por lo sucedido al gallo, pero era demasiado tarde para lamentarse.

**Todo apresuramiento,
trae arrepentimiento.**

El niño y el caminante

Un niño se bañaba en el aparente remanso de un río en horas de ardiente sol.

A pocos metros, siguiendo el cauce, había una fosa profunda, hacia donde fue arrastrado el joven que no sabía nadar.

—¡Auxilio, auxilio, que me ahogo —gritaba el pequeño dando manotazos, en trance de ahogarse.

Por aquel paraje acertó a pasar un caminante, quien, al ver el peligro en que se encontraba el muchacho, le reconvino en estos términos.

—¿Sabes nadar, muchacho? Y, si no sabes ¿cómo se te ocurrió bañarte en esa fosa? ¡Desdichado, considera el peligro que corres!

El niño, haciendo un esfuerzo, le respondió:

—¡Oye, no es hora de reconvenciones! ¡Sácame primero y después me reñirás cuanto quieras!

***Consejos y sermones,
tienen sus ocasiones.***

El herrero y el perro

Un herrero, que vivía acompañado de su perro, iniciaba sus labores desde muy temprano.

—¿Dónde se habrá metido ese animal, que ni siguiera me espanta las moscas? —se preguntaba, sin disimular el malhumor.

En efecto, el perro pasaba las horas durmiendo, mientras el amo sudaba la gota gorda en la fragua.

A la hora de comer, el muy pícaro se presentaba sin que lo llamase su dueño, moviendo la cola esperando su ración.

Entonces, el hombre le arrojaba algún hueso y lo recriminaba, diciéndole:

—Gran badulaque siempre ocioso y durmiendo! ¡Cuando golpeo el yunque, duermes; mas si muevo las mandíbulas, apareces!

**El hombre perezoso,
en la fiesta es acucioso.**

El león, la zorra y el ciervo

Tirado en su cueva, víctima de los achaques de la edad, se encontraba un león que tenía, como ama de llaves, a una zorra que fingía preocuparse por su salud.

-Si desempeñas con celo tu oficio, tráeme un ciervo, que sólo comiendo su corazón podré sanar.

La astuta, para congraciarse, se encaminó al bosque y, encontrando un ciervo, le dijo:

—Amigo, te traigo una gran noticia que te hará feliz. El león, que es vecino mío, está muy enfermo y teme por su vida. Ve y busca, me dijo, un animal a quien dejar mi trono.

—De seguro coronará al tigre—, observó el ciervo.

—No, precisamente, pues le parece un fanfarrón.

(Continúa)

Tampoco al oso que es torpe, ni la pantera por quisquillosa, menos aún al jabalí por ignorante.

—Pero hay otros animales —acotó el ciervo.

—A todos les halló defectos, menos a ti. Piensa el león que eres esbelto y que luces hermosa cornamenta. Serás pues, el futuro rey.

El ciervo, henchido por tanta palabrería, no pudo más y fue al cubil en compañía de la zorra. El león, al verlo, se abalanzó sobre el visitante y solo pudo arrancarle las orejas. Entonces el ciervo sangrando huyó al bosque.

—¡De todas maneras quiero al ciervo! -rugió el león-. Caso contrario, lo reemplazarás tú.

—Ojalá pueda convencerlo —repuso la raposa.

El ciervo, al ver a la zorra, la amenazó con sus cuernos, pero ésta, aguzando el ingenio, le respondió:

—Fuiste cobarde, amigo. El león al tomarte de las orejas deseó confiarte al oído un secreto de Estado. No te engaño. Lo único que anhela es que seas rey de la jungla. Por mi parte, deseo me des un lugar en tu corte.

El ciervo, halagado por la insinuación, accedió y se encaminaron a la madriguera del león quien, al verlo nuevamente, lo mató de un zarpazo y lo devoró sin dejar hueso alguno. La zorra, tramposa al fin, en un descuido se comió apresuradamente el corazón.

El león, al no encontrar la víscera apetecida, visiblemente encolerizado, preguntó:

—¿Será posible que este animalejo no tenga corazón?

—Un animal que viene por segunda vez a tu guarida, es natural que no lo tenga —repuso la zorra.

Junto al uso de la razón,
va parejo el corazón.

SEGUNDA PARTE

Fábula	Valor	Antivalor
El lechón vanidoso	Sencillez	Vanidad *
El asno y el perro	Interés	Desinterés
El campesino y la culebra	Confianza	Desconfianza *
Guerra entre lobos ...	Unión *	Desunión
El cisne, el ganso y ...	Ayuda *	Estorbo
El león, el ratón y la zorra	Valentía *	Cobardía
El embustero	Confianza *	Desconfianza
Las ranas vecinas	Seguridad *	Inseguridad
El gato y la raposa	Humildad	Vanidad *
El viajero y la verdad	Veracidad *	Mentira
El náufrago	Trabajo	Pereza *
El león y el toro	Prudencia *	Imprudencia
El eje y los bueyes	Justicia *	Injusticia
El lobo avivato	Cooperación *	Egoísmo
El hombre mordido ...	Confianza	Desconfianza *
La zorra y la corneja	Confianza *	Desconfianza
La golondrina y los ...	Prudencia *	Imprudencia
El asno y las cigarras	Ayuda	Estorbo *
El lobo y el caballo	Seguridad *	Inseguridad
El hombre que ...	Altruismo	Egoísmo *
El pastor, el lobo y el perro	Confianza *	Desconfianza
El labrador y el águila	Gratitud *	Ingratitud
El murciélago, espino ...	Comprensión *	Incomprensión

(*) Mensaje valorativo

El lechón vanidoso

En una piara de puercos, vivía un lechón vanidoso que tenía delirios de mandón. Gruñía y mostraba los dientes sin lograr asustar a nadie.

—Aquí no me obedecen ni me tienen respeto —se dijo el marranito—. Me iré lejos. Y se fué a la montaña donde halló un rebaño de corderos, los cuales aceptaron la presencia del cochino.

—Aquí me quedo —decidió el lechón.

Pero un día se presentó el lobo y los corderos huyeron. El lechón quedó solo y se lo llevó el lobo.

Al pasar cerca de la piara, el cerdito pidió auxilio. Los puercos lo reconocieron y arremetieron contra el lobo, liberándolo. Entonces el lechón dijo:

—En la fortuna o en la adversidad, mejor se está con los amigos y los parientes.

**El buen amigo
en bien y en mal está contigo.**

El asno y el perro

Un asno y un perro, que emprendieron viaje, encontraron en el camino una carta sellada.

El borrico recogió el sobre, rompió el sobre y leyó a media voz para que su compañero escuchara el contenido.

En la carta se aludía a lugares donde abundaban los forrajes como alfalfa, cebada, avena y otros pastos.

El perro, angustiado por el hambre y luego de profundo bostezo, suplicó:

—Pasa unas líneas, compañero, a ver si hay algo sobre carnes o huesos.

El lector concluyó la lectura para sí, sin hacer alusión a los deseos del perro. Mortificado el can, tomó la palabra y protestó:

—Arroja lejos el papelucho, compadre, pues no tiene importancia para mí.

**Donde yo no importo,
es lugar que no soporto.**

El campesino y la culebra

Junto a la puerta de la casa de cierto campesino vivía una culebra, como guardiana del hogar, recibiendo cada día buena alimentación.

Una mañana ésta se acordó que era reptil y mordió, de muerte, a uno de los nenes de su protector.

—¡Te cortaré en mil pedazos! —exclamó el hombre y, cogiendo el hacha, asestó tan terrible golpe que hizo trizas la piedra de entrada, salvándose la ingrata.

Después de muchos meses, como era su costumbre, la culebra vio una taza de alimentos en la puerta de su guarida, por lo que el reptil dijo al dueño:

—No esperes que lo toquen mis labios, pues ya no hay confianza entre los dos; porque mientras yo salga y vea esta piedra destrozada tú, al entrar, verás vacía la cuna de tu hijo.

Recuerdos de maldades,
no permiten amistades.

$\mathcal{G}$uerra entre lobos y perros

Sucedió que en cierto lugar perros y lobos llevaron su odio hasta declararse la guerra.

—Es necesario nombrar un general para garantizar el éxito —dijeron los perros y eligieron por su velocidad, a un enorme galgo.

Los lobos provocaban a diario. Pero el flamante jefe se hacía de la vista gorda, por lo que una comisión de mastines preguntó al galgo:

—¿Cuál es el motivo para no frenar la ofensa que nos hacen los lobos?

—No es tan fácil derrotarlos —respondió el general—. Pensándolo bien, los lobos son iguales en el pelaje y la raza, mientras que en nuestras filas habemos de todo color, razas y algunos extranjeros. No habiendo unidad ¿cómo asegurar la victoria?

El prudente todo lo ha de mirar
antes que las armas tomar.

El cisne, el ganso y el cocinero

En una quinta convivían en franca amistad un cisne y un ganso. El primero para recrear los ojos del amo, y el segundo para satisfacer su paladar.

Rivalizaban por creerse los favoritos y la querella llegó al estanque que surcaban ambos.

—Soy el único que ingresa al jardín para pasearme entre las flores —decía el cisne.

—Yo lo hago por toda la casa —replicó el ganso.

Cierto día, el amo pidió al cocinero un guiso de ganso. Entonces el ranchero, excedido en copas, cogió al cisne, lo tomó del cuello y se aprestaba a degollarlo cuando el ave lanzó una melodía jamás oída.
Asombróse el cocinero y acariciándolo, le dijo:

—No permitan los dioses llevar a la olla ni herir la garganta de tan eximio cantor.

**Si quieres salvarte,
muestra tu mejor arte.**

El león, el ratón y la zorra

Después de un festín, cierto león quedóse profundamente dormido y, entre tanto, un pícaro ratón se paseaba sobre el cuerpo del rey.

Los cosquilleos despertaron al amo de la selva. Trató, entonces, de averiguar quién los provocaba para castigar el agravio y falta de respeto.

En aquella circunstancia, una zorra, que observaba los afanes del león y los apuros del ratón, preguntó burlonamente al soberano:

—¿Cómo un rey tan poderoso es capaz de sentir temor por la presencia de tan despreciable pericote?
El león, ni lento ni cobarde, sacudiendo la melena, contestó:

—No es temor al despreciable roedor, sino admiración a quien se atrevió a pasearse sobre mi cuerpo.

Para el osado,
respeto asegurado.

El embustero

Un pobre charlatán enfermó y, presintiendo cercano su deceso, acudió a los dioses demandando salud.

—Prometo ofrecerles, en sacrificio, cien bueyes si me dan la salud —les clamó.

En efecto, sus males desaparecieron como por encanto y para cumplir su promesa modeló, en cera, cien bueyes que llevó a los altares.

—¡Oh, dioses, aceptad mi sacrificio! —les dijo.

Las deidades, considerando esta actitud como una burla, le hicieron ver en sueños que, en la orilla del mar, hallaría mil monedas de oro.

El hombre, que además de embustero era ambicioso, corrió a la playa donde lo apresaron unos piratas que lo vendieron en mil monedas.

De este modo fue castigado por su irreverencia.

**Mejor es no prometer
que prometer y no hacer.**

Las ranas vecinas

En un estanque, no lejos del camino, vivía una rana charlatana y en el charco del mismo sendero se alojaba otra rana; por tanto, eran vecinas.

Cada mañana, al despuntar el astro rey, conversaban, pues habían trabado cordial amistad. Un día, la del estanque, dijo a su vecina.

—Querida mía, véngase a mi diestra que así charlaremos mejor; además, hay aquí comida y seguridad.

La rana del charco desoyó la invitación, diciendo:

—Mire, vecina, aquí en mi casa me hallo a mis anchas.

Gracias, señora, por su invitación.

—Cierta mañana, la del charco no respondió a los requerimientos de su vecina.

¿Qué ocurrió?... Un carretón que pasó en la madrugada la había aplastado.

**Si quieres vida segura,
asienta el pie en la llanura.**

El gato y la raposa

Un gato y una raposa platicaban amenamente sobre sus habilidades.

—Yo sé subir paredes y árboles. Así escapo de los peligros —decía el gato.

—¡Que ignorante eres! —repuso la raposa—. Yo domino cien artes que me proporcionan vida tranquila.

Así se desenvolvía la charla, cuando el gato divisó la proximidad de un cazador a caballo, precedido por dos furiosos sabuesos. La zorra no le dio importancia, mas viendo el peligro encima, exclamó:

—¡Huyamos, hermano, después sería tarde!
El gato trepó a un árbol y salvó, mientras gritaba a la raposa que era perseguida por los mastines:

—¡Ahora es cuando debes hacer uso de una de tus cien artes, hermana!

***No presumas de tu habilidad,
sin demostrarla en su oportunidad.***

El viajero y la verdad

Un viajero, que cruzaba las arenas del desierto, encontró una hermosa doncella que lloraba inconsolable, a quien preguntó:

—¿Quién eres?

—Soy la Verdad —contestó la interrogada.

—Y a ti ¿qué te ha impulsado a vivir sola en estos candentes arenales lejos de la ciudad? —volvió a preguntar el viajero.

—Escucha —respondió—, antes en la ciudad había pocos hombres que rendían culto a la mentira.

—Y ... ¿ahora?

—Cuán pocos son los que cultivan la verdad.

El viajero reemprendió la marcha y la doncella, cubriéndose el rostro con la manos, siguió llorando.

La mentira extendida,
a la verdad exilia.

El náufrago

En una nave, que cruzaba el mar Egeo, viajaba un rico ateniense en compañía de varios pasajeros.

Entre risas y chascarros el viaje empezó bien.
De pronto, aparecen en el horizonte unos nubarrones que oscurecen el firmamento y las tranquilas aguas comienza a agitarse.

En pocos minutos la borrasca se torna violenta, la nave hace agua y se produce el inevitable naufragio.
Los pasajeros se arrojan al mar y tratan de salvarse a nado.

Entre tanto, el acaudalado ateniense, manteniéndose a flote, ofrecía a la diosa Atenea toda clase de ofrendas si lograba salir con vida.

Un náufrago, que estaba junto al ateniense, le dijo:
—Ruega a tu diosa, pero no olvides de dar trabajo a tus brazos.

**A Dios rogando
y con el mazo dando.**

El león y el toro

Cerca de la comarca, vivía un fornido y reluciente toro que despertó la apetencia de un león, quien al no poder vencerlo concibió un ardid para atraparlo.

El rey fue en busca del toro y le dijo:

—Amigo, me has caído en simpatía. Te ruego me acompañes a cenar un carnero que tengo en casa.

Llegado al lugar, el toro observó grandes ollas y asaderas, pero no al carnero.

El león hizo sentar al huésped en un sillón, pensando que así sería más fácil matarlo, pero el toro comprendió la situación y, sin decir nada, se marchó.

—¿Por qué te vas —dijo el león—, si recién voy a servir la cena?

—Gracias, falso amigo. Veo que has preparado todo para asar un toro, no un carnero. ¡Adiós, mentecato!

Traición bajo amistad,
es doble maldad.

El eje y los bueyes

Un campesino había enganchado una carreta, llena de verduras y frutas, a una yunta de bueyes, para llevarla al mercado del pueblo.

Iban con paso lento, porque el camino era accidentado, cuando de pronto escucharon un crujido extraño que provenía del eje del carruaje.

Los bueyes hicieron un alto, se guiñaron los ojos y recriminaron al eje de este modo:

—Amigo, ¿de qué te quejas? Mira que nosotros somos los que tiramos de la carga y, sin embargo, eres tú quien se lamenta.

El eje, sintiéndose ofendido, respondió:

—Un poco más de cuidado con lo que dicen, pues si bien es cierto que tiran de la carreta, soy yo quien soporta el peso de la carga.

***La peor rueda del carro
es la que más rechina.***

El lobo avivato

Este era un lobo avivato que aprovechó de la reunión de sus iguales para hacerles esta propuesta:

—He estado pensando en el bienestar general y para que en adelante nadie sufra hambre, cada lobo que obtenga buena presa en el día, la distribuirá equitativamente entre todos.

—¡Bravo, bravo! —gritó la manada—. Necesitamos un monarca. ¡Sé, tú, nuestro rey!

Un asno, que era observador ocasional del discurso, dirigiéndose al flamante monarca, le dijo:

—Es sabia la disposición que acabas de dar, mas el ejemplo debes darlo tú, ¿por qué no presentas y distribuyes la caza de ayer, que la tienes oculta en tu cueva?

Más enseñan buenas acciones,
que excelentes sermones.

El hombre mordido por el perro

Un hombre que se dirigía a la ciudad, al parecer frente a un rebaño, fue atacado por un perro furioso.

—¡Fuera, fuera perro! —logró vociferar mientras el canino le daba feroces dentelladas.

Con el temor de que el perro pudiera estar enfermo de rabia, llegó a la ciudad y buscó un curandero.

—Señor, fui mordido por un perro —díjole al entrar—. Le ruego me cure de inmediato.

El curandero observó la herida y recetó:

—La mordedura puede sanar en seguida si tomas un pedazo de pan, lo mojas en la sangre de la herida y se lo das al perro.

—Tu medicina es muy buena —contestó el herido-, pero si doy pan al perro que me atacó, en seguida vendrán otros perros a morderme.

De necios es provocar,
el daño que se puede evitar.

La zorra y la corneja

Las ramas de una higuera daban albergue a cierta corneja que desfallecía de hambre.

—Los higos están verdes —se dijo la corneja—, esperaré que maduren los frutos. Si me voy, no tendré fuerzas para retornar.

Así pues se acomodó, lo mejor que pudo, esperando se cumplieran sus deseos.

Y bien, una zorra que observaba la escena, preguntó a la hambrienta corneja:

—Amiga, ¿qué motiva tu abandono?

—La esperanza que los higos maduren para saciar mi creciente hambre —respondió la corneja.

—No es prudente que confíes en la esperanza —aconsejó la zorra—. Esta se alimenta de ilusiones, no de higos.

***La anhelada esperanza
es pan en lontananza.***

La golondrina y los pájaros

El muérdago es una planta parásita de los árboles que se caracteriza por tener tallos con fuertes púas que aprisionan a los pajarillos incautos que caen sobre ellas.

Cuado la planta comenzó a florecer, la golondrina, previsora, reunió a los pájaros y les dijo:

—Amigos, es necesario arrancar el muérdago tierno de los robles, para no perecer en sus espinas; o bien, busquemos refugio en las casas de los hombres.

—¡Calla, charlatana! —rechazaron los pájaros.

La golondrina, por su parte, solicitó asilo a los hombres quienes la cobijaron por su talento. Entre tanto, los pájaros incautos perecieron en el muérdago e incrementaron el menú de las gentes.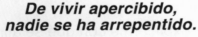

Desde entonces, la golondrina anida en casas de los humanos sin temer a los hombres.

De vivir apercibido,
nadie se ha arrepentido.

51

El asno y las cigarras

Un asno, dueño de singulares orejas, pretendía apreciar las voces de la Naturaleza.

—Sus cantos me suenan a melodías celestiales —dijo el borrico a unas cigarras que daban un concierto de chirridos destemplados.

—Por favor ¿quieren explicarme con qué se alimentan para lucir voz tan conmovedora? Su canto llega al alma —agregó, para dárselas de artista.

Entonces uno de los bichos, picado por el elogio burreguil, le respondió:

—Con rocío, señor.

El borrico, pretendiendo suavizar sus estruendosos y destemplados rebuznos, quedóse en espera del rocío y, si no murió de hambre, de seguro que lo está esperando.

**El burro y el tonto,
se entienden muy pronto.**

El lobo y el caballo

Un lobo que husmeaba en el campo, encontró una buena cantidad de agradable cebada.

—Buscaré un caballo para que aproveche de este grano. Así engordará y después me será un excelente plato —decía, mientras las babas le caían pensando en el futuro banquete.

En efecto, encontró un caballo que, a primera vista, había sufrido los golpes de la vida y lo llevó hasta el lugar de su hallazgo, diciéndole:

—Te he guardado esta cebada porque quería sentir el placer que produce el ruido de tus dientes mientras lo comes.

El caballo, que había adivinado las intenciones del malvado, le respondió, haciendo gala de su filosofía.

—Dime, si los lobos comieran cebada, ¿hubieras preferido el placer de tus oídos al de tu paladar?

**Siempre se es generoso,
con lo que para uno no es provechoso.**

El hombre que buscaba esposa

En lujosa mansión vivía un acaudalado solterón que soñaba con casarse, aunque sin mayor apuro, despertando la ambición de las casaderas.

Eran las preferidas dos viuditas que se esmeraban por agradarle. La una, joven y hermosa; y la otra, disimulaba con su arreglo lo que natura le negó.

Las viuditas le arreglaban el cabello todos los días. La fea y madura le arrancaba los pelos negros y, la más joven las canas, dejándolo totalmente calvo.

—Gracias les doy, oh señoras, por haberme trasquilado tan bien —les dijo el solterón—. Así he ganado más de lo que hubiera perdido, pues cualquiera de ustedes que fuere mi esposa me haría vivir conforme a su capricho, no al mío. Veo que mi cabeza calva ya no está para componendas.

Quien con egoísmo me trata,
a sus caprichos me ata.

El pastor, el lobo y el perro

Cuando el Sol se ponía entre las montañas de la comarca, un pastor conducía su rebaño hacia el aprisco.

Oculto entre las ovejas, simulando mansedumbre, se escurrió un famélico lobo, con la intención de devorarlas durante la noche.

El perro del pastor, al percatarse de la presencia del intruso carnicero, dijo al oído de su amo:

—Si tanto te preocupa la vida de tus ovejas, ¿cómo permites que vaya un lobo entre ellas?
Como es de suponer, el pastor, alertado por el aviso, se acercó con prudencia al lobo y lo molió a palos.

El pícaro, al verse perseguido por el perro, dijo:

—Esta vez, la suerte no está de mi parte: ¡Sobre palos..., dientes!

Entre flores y primores
se esconden los traidores.

El labrador y el águila

Don Agustín encontró cierta vez una águila apresada en una red y, tanto le impresionó la belleza del ave que, exponiéndose a muerte segura, la libertó.

El águila, reconocida por tan valioso favor, no se mostró ingrata con su bienhechor.

Viéndolo un día sentado al pie de un muro que amenazaba desplomarse, voló hacia él y con sus garras le quitó delicadamente un pañuelo que le ceñía la cabeza.

El hombre se levantó para seguir al ave, y el águila dejó caer el pañuelo.

Don Agustín lo recogió y, al volver sobre sus pasos, halló en escombros el muro en el que, instantes antes, se encontraba sentado.

Maravillado por haber sido correspondido, prometió hacer el bien cada vez que se le presentase la ocasión.

**Quien siembra favores
cosecha bienes.**

El murciélago, el espino y la gaviota

He aquí lo que el fabulista nos refiere de cuanto sucedió en tiempos remotos, cuando los animales y las plantas hablaban.

Pues bien, en aquella época el murciélago, el espino y la gaviota formalizaron una empresa para dedicarse al comercio y cada uno presentó su iniciativa de la siguiente manera:

—Yo trataré de conseguir el dinero necesario —dijo el murciélago, batiendo sus membranas.

—Yo reuniré toda clase de telas —repuso al punto el espino, aguzando sus púas.

—Yo compraré gran cantidad de cobre y otros metales —acotó la gaviota.

Cuando tuvieron todo a disposición alquilaron un barco, lo aparejaron debidamente y se echaron a la mar en busca de nuevos horizontes donde vender lo que llevaban y mercar estos y otros productos.

(Continúa)

Todo iba bien en el viaje cuando fueron sorprendidos por una terrible tempestad que hundió a la nave no obstante el titánico esfuerzo que hicieron los viajeros.

—¡Bendito el Cielo que nos permitió sobrevivir! —exclamaron los tres socios que salvaron de morir—. Ya seguros en tierra se despidieron, y cada uno se fué por distintos caminos en busca de nuevos destinos.

Desde entonces, el murciélago se refugia en cuevas oscuras evitando ser descubierto por sus acreedores, saliendo solo por las noches en procura del alimento necesario para subsistir.

A la gaviota se la ve, aun hoy, revoloteando por las orillas del mar, al acecho de algún metal con que reponer su patrimonio perdido.

Entretanto, el espino siempre se engancha en cualquier tela para ver si recobra algunas de las que perdió en el naufragio.

Así continuarán, por los siglos de los siglos, recordando que, en otros tiempos, fueron los precursores del comercio naval.

Vivirás entre temores,
si tienes acreedores.

TERCERA PARTE

(*) Mensaje valorativo

El águila y el cuervo

Una águila que llevaba por los aires a un carnero, fue vista por un cuervo que trató de imitarla.

Revoloteó sobre el rebaño y, hecho unas Pascuas, eligió el más gordo, mientras se decía:

—Es apetecible este manjar. Pronto caerá en mis garras.

El cuervo se precipitó sobre la víctima mas, no pudiendo levantarla, se quedó enredado en sus lanas encrespadas.

El pastor sorprendió al intruso, lo cogió, le cortó las alas y lo llevó a sus hijos.

—¿Qué clase de ave es este pajarraco, papá? —preguntaron los niños, y el padre les respondió:

—Por su aspecto parece un cuervo, pero por sus pretensiones, pareciera una águila.

**Ni imitar ni aparentar,
te ponen en buen lugar.**

El astrónomo

Un astrónomo, adicto a la contemplación de los astros de la bóveda celeste, sabía que en las noches estivales de cielo sereno y límpido, las estrellas se presentan en su mayor fulgor, por lo que gustaba observarlas paseándose por las afueras de la ciudad.

En uno de aquellos paseos tropezó y cayó en un hueco, sufriendo graves heridas.

Por aquel lugar acertó a pasar un viejo que, al escuchar sus quejidos, acudió en su auxilio.

—¿Qué te ocurre, buen amigo —le dijo el anciano—, estás mal herido?

El astrónomo, entre ayes de dolor, refirió lo sucedido, a lo que el buen samaritano le reconvino:

—¡Querido amigo! ¿Pretendes ver lo que hay en el cielo sin antes darte cuenta de lo que hay en el suelo?

***Si quieres llegar lejos,
pisa suelos parejos.***

El tordo

En una encantadora comarca, había un pequeño bosque de cerezos que exhibían al sol sus aromáticos racimos.

Un tordo, que volaba feliz entre sus ramas, decía:

—¡Qué dulces y sabrosas están las pepitas!, me hartaré con ellas hasta más no poder.

Por aquella aldea acertó a pasar un cazador que, al notar la avidez de la avecilla, pensó:

—¡Hermoso tordo! Lo cazaré para incrementar mi valiosa colección.

Y, mientras el pájaro se dedicaba a su voraz gastronomía, el cazador se aproximó con sigilo y, utilizando un poco de liga, lo atrapó.

En la quietud del cautiverio, el tordo se decía:

—¡Pobre de mí! Por comer en demasía, perdí mi inapreciable libertad.

**Por pensar con la barriga,
te hizo prisionero la liga.**

El león, el asno y la zorra

Éranse un león, un asno y una zorra que acordaron repartirse, equitativamente, la caza atrapada.

Después de una espléndida jornada, el león ordenó al jumento hacer la distribución. El borrico hizo tres porciones iguales y díjole:

—Elija, su majestad, la porción que le agrade.

El melenudo consideró aquello como una provocación y sin más miramientos devoró al asno.

—Te corresponde hacer la distribución —dijo a la zorra, que presentía su cercano fin.

Pero la astuta, después de reunir todo y separar algunas piltrafas, invitó al león a escoger lo conveniente.

—¿Quién te enseñó a repartir tan bien la caza? —preguntó el león a la asustada raposa.

—Fue la desgracia del asno —repuso la zorra.

Cuando la barba de tu vecino veas pelar,
pon la tuya a remojar.

La cigarra y la zorra

Cerca de un árbol muy alto, en cuyas ramas cantaba una cigarra, acertó a pasar una zorra.

—Ahora es cuando debo aguzar el ingenio para bajar ese apetecible bocado —se dijo la zorra.

En efecto, la muy astuta, en tono zalamero, le dirigió este discurso:

—¡Oh, resplandor de las flores, qué hermosas melodías fluyen de tu delicada y afinada garganta! ¿Por qué no bajas para tener la dicha de saberte a mi lado y escuchar mejor tu armonioso canto?

La cigarra, intuyendo que tan floridas palabras escondían malévolos propósitos, le respondió:

—Te equivocas, comadre, si creíste que bajaría. Dudo de tu fementida sinceridad, desde que veo en tus fauces las alas de otra cigarra.

El mal y el bien,
en el rostro se ven.

El jilguero y el murciélago

En las noches se escuchaba, rompiendo el silencio de las tinieblas, el canto triste de un jilguero encerrado en su jaula.

A la distancia, esos arpegios fueron percibidos por un murciélago que voló hacia la fuente de los sollozantes trinos y, encontrando al prisionero, le dijo:

—Lamento tu situación, amigo, pero dime ¿por qué cantas de noche y no de día como las demás canoras? El jilguero, conmovido, respondió al visitante:

—No es por gusto que lo hago. Antes cantaba de día y por eso me capturaron; ahora lo hago de noche y con mucha discreción.

—Pues me parece que ya no es momento de ser discreto, sino antes, cuando estabas libre —sentenció el murciélago.

***Llegada la desventura,
con lamentos no se cura.***

La avispa y la serpiente

Sabido es que las avispas tienen un aguijón con el cual causan picaduras mortales a sus víctimas.

Pues bien, en cierta ocasión, una serpiente confundió a un nido de avispas con una colmena y, arrastrándose, trató de llegar a ella para succionar la miel.

Una avispa, que advirtió la presencia de la intrusa, saltó sobre su cabeza y le clavó el aguijón.

La serpiente, presa de insoportable dolor, no podía desprenderse de su enemiga, por lo que, reptando hasta el camino, abrigó una última esperanza:

—Haré que la aplaste un carro, así sabrá lo que es dolor —se decía mientras se escabullía en la arena.

En efecto, pasó un carro y la sádica aprovechó para introducir la testa bajo las ruedas, haciéndosela trizas junto con la avispa.

La vida es el precio,
de la venganza del necio.

El bufón y los peces

Cierto hacendado invitó a cenar a un bufón. El cocinero presentó unos menudos pejerreyes junto a una gran merluza. El anfitrión ordenó que sirviera, primeramente, los pececillos para ver qué chiste insinuaba el invitado.

Llegado el momento el bufón acercó el oído a los pejerreyes, simulando conversar con ellos.

—¿Qué haces, buen amigo? —preguntó el hacendado.

—Escuche, señor —repuso el bufón—. Hace tiempo que un amigo marchó a la india y no sé la suerte que corrió. Por eso pregunto a los peces si saben algo de él y todos, por ser muy jóvenes, no saben; pero piensan que solo la merluza podría informarme de mi colega.

La ocurrencia hizo gracia al anfitrión que, de inmediato, ordenó al cocinero servir la merluza.

Hombre con talento
vale por ciento.

Las alforjas de Júpiter

Un día, Júpiter echó al hombre por este mundo para que lograra experiencia, y le dio dos alforjas con la siguiente consigna:

—En la alforja delantera colocarás todos los vicios que observes en los hombres; y, en la posterior, guardarás los tuyos.

El hombre inició la caminata y, como es natural, iba poniendo en la alforja de adelante los vicios que encontraba en los demás y, los que procedían de su propia naturaleza, se los echaba a la espalda.

Desde entonces el hombre ve todo lo malo que hace el vecino y jamás ve lo perverso de su propio instinto.

Quien de vicios está lleno,
no ve los suyos, sino los ajenos.

El halcón y el ruiseñor

Un hambriento halcón divisó en la rama de un árbol el nido de un ruiseñor, a cuya caza se precipitó.

El pajarillo, en su impotencia, le imploraba:

—No nos hagas daño; hay otras aves mayores que podrían saciar tu desmedido apetito.
El halcón estableció la siguiente condición:

—Si cantas bien, accederé a tu petición.

El ruiseñor, movido por el amor a sus hijuelos, comenzó a emitir los más dulces arpegios jamás oídos.

—Me ha defraudado tu canto, amigo; en consecuencia me comeré a tus polluelos —dijo el depredador, dando rienda suelta a su voracidad.

Un cazador, atraído por el canto del ruiseñor, observó la vehemencia del rapaz y, tendiéndole una trampa, lo capturó y degolló.

Quien ruega al villano
ruega en vano.

El jardinero y el perro

Cerca del lugar donde laboraba un jardinero había un pozo profundo.

El jardinero tenía un perro engreído, que gustaba estar a su lado; pero aquella mañana, no se sabe cómo, el animal cayó al pozo.

Sin pensarlo dos veces, el jardinero corrió y descendió al pozo para salvar a su fiel compañero.

—Seguro que mi amo quiere hundirme del todo —pensó irreflexivamente el can, y volviéndose le dio salvaje dentellada en la pierna.

Soportando el dolor del terrible mordisco, el jardinero salió del pozo y, observando sus heridas, exclamó:

—¡Bien merecido lo tengo por tratar de salvar a un animal que había resuelto suicidarse!

En mal hora y en mal rato,
se hace bien al ingrato.

El enfermo y el médico

Hacía mucho tiempo que un enfermo era atendido por un médico provinciano.

El galeno, lo último que hizo fue darle pasaporte para la sepultura, pues no pudo evitar que su paciente muriera.

El día de los funerales, en medio de la turbación de los familiares, el médico se presentó y en tono sentencioso dijo:

—Este pobre hombre ha muerto porque quiso. Su mal se habría curado si hubiera bebido, en abundancia, refrescos y se hubiera privado del vino.

Uno de los dolientes contestó:

—Es una pena que esto no se le ocurriera antes que muriese.

Después de muerto... ¿Qué?

**Con médico olvidón
enfermos a montón.**

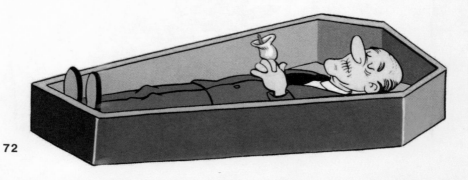

Los caminantes y el cuervo

Durante el recorrido que hacían unos caminantes divisaron un cuervo tuerto.

—Estamos a merced de alguna desgracia —musitó uno de ellos— pues el cuervo es malagüero.

—Mejor sería suspender la marcha por hoy —acotó el segundo— así evitaremos las calamidades que nos persiguen.

—Qué tontería —dijo despreocupado otro de los viajeros. Si aquel cuervo pudiera prever lo que ha de acontecernos. —única razón que explicaría su aparición—, hubiera previsto antes para sí, y no habría ido al lugar donde perdió el ojo.

Convencido el grupo por este razonamiento, prosiguió la caminata.

**Donde manda la razón,
obedezca el corazón.**

El lobo petulante y el león

A la hora en que el Sol se aproxima al poniente, todas las cosas proyectan una sombra alargada.

Un lobo que vagaba por el lugar, creyendo que era tan grande como su sombra, se dijo:

—¿Cómo puedo temer al león siendo tan grande como en verdad soy? Desde hoy, seré el rey de los animales y el propio león tendrá que rendirme reverencia.

Mientras así pensaba en grandezas, un león, que acechaba, se lanzó sobre el incauto y comenzó a devorarlo, en tanto que le decía:

—¡Así te rindo reverencia insensato!

En su agonía el lobo se quejaba:

—¡Bien merecido lo tengo! ¿Quién me mandó inflarme como la rana de la fábula?

Siempre, la irreflexiva petulancia,
nos pierde en cualquier circunstancia.

La perdiz y los gallos

Un joven, aficionado a la crianza de aves, tenía dos gallos que andaban discutiendo de continuo.

Pasadas unas semanas, el joven adquirió una perdiz domesticada y la puso en el corral, junto a los señores gallos.

—¿De dónde ha salido esta intrusa? Aquí no hay lugar para ella —murmuraban los gallos y la acosaban a picotazos, obligándola a refugiarse en un rincón.

La perdiz pensó que la maltrataban por ser de raza diferente y, por lo tanto, sentíase humillada.

Días después, advirtió que los gallos se peleaban hasta sangrar. La perdiz, ante el espectáculo, comentó:

—Me parece que no debo lamentarme, pues estos malvados no practican la paz ni entre ellos.

Nunca esperes buen trato,
de quien de la paz no es beato.

La pulga y el hombre

Una impertinente pulga se metió entre las ropas de un hombre a quien ocasionaba molestias mil.

A tanto restregarse, nuestro amigo logró cogerla, pero antes de matarla le preguntó:

—¿Quién crees ser tú, que vives succionándome la sangre? Me picas aquí y allá, sin ton ni son, provocándome escozores sin cuento.

La pulga, sin inmutarse, le respondió:

—Has de saber que así es mi manera de vivir, por lo tanto te suplico no matarme. ¿Acaso es mucho el mal que te ocasiono? ¡Vaya, hombre sin corazón!

—¿No sabes que cualquiera sea el daño, grande o pequeño —respondió el hombre—, debe evitarse? Ahora vas a morir de mi propia mano.

La desdichada murió entre las uñas del ofendido.

El daño no tiene porte,
y a nadie que lo soporte.

Zeus y los hombres

En las narraciones sobre la creación, antes que Zeus creara al hombre, se afirma que dotó a los animales de diferentes atributos.

Así, pues, a unos les concedió la fuerza; a otros, la velocidad; a otro grupo, las alas; y otros recibieron la habilidad de vivir dentro del agua. En suma, cada especie con diferente particularidad.

Cuando le tocó el turno al hombre, lo dejó en el mundo completamente desnudo, por lo que éste exclamó:

—Divino Zeus. ¿Por qué eres tan injusto conmigo? A todos los seres les dotaste de alguna merced, menos a mí.

Zeus, sin enfadarse, le respondió:

—A ti, te he dotado de dos presentes que sólo corresponden a los dioses: la razón y el juicio, de los que carecen los animales.

Por el entendimiento,
se distingue al hombre del jumento.

El cisne y su dueño

¡Qué hermosa ave! —exclamó un señor frente a un esbelto cisne que estaba en venta—; la compraré para impresionar a mis amigos con su armonioso canto.

Es tradición generalizada que los cisnes solo cantan cuando presagian cercana su muerte y entonces lo hacen con melodías jamás escuchadas.

Un día, el dueño del cisne convidó una cena e insistió al ave a cantar para embelesar a los invitados, pero el cisne permaneció callado, como una tapia.

Días después, el cisne, antes de morir, dejó escuchar maravillosa melodía, que cual lejana lamentación subyugó al patrón, quien se expresó así:

—De haber sabido que los cisnes solo cantan antes de morir no pediría que cantara cuando aún estaba con salud.

**No encargues el ataúd,
para quien está con salud.**

El juramento

Un hombre que recibió dinero en depósito, pensó quedarse con él. Por eso, cuando fue citado para prestar juramento, se fué de paseo.

Al salir de la ciudad vio a un cojo y le preguntó quién era. El cojo le respondió que era el juramento y buscaba a los perjuros. Le volvió a preguntar cada cuánto tiempo venía. El juramento le respondió cada 30 años.

Entonces ya sin miedo, acudió ante el magistrado y negó en juramento haber recibido depósito alguno.

Pero, de repente se presentó el juramento y se lo llevó camino del precipicio. El perjuro protestó porque lo había engañado y el juramento le respondió.

Es que tú no me preguntaste qué pasaba cuando alguien miente al jurar, porque entonces te hubiera contestado que vuelvo por él el mismo día.

**Quien miente cuando jura,
su ruina o muerte procura.**

El lobo y el león

Un lobo hambriento se escurrió en un rebaño de ovejas y, cogiendo a una de ellas la llevaba, arrastrando, hacia su guarida.

De pronto, apareció un león que también andaba en busca de presa y al ver al lobo, le dijo:

—¡Alto, amigo! ¡Deja ahí a la víctima y aléjate de mi vista si no quieres acompañar a la oveja como segundo plato!

El lobo dejó al león lo robado y, cuando estuvo un tanto alejado, le gritó:

—¡Me quitas lo que es mío! ¡Que injusto eres!

El león, con risa burlona, le respondió:

—¿Injusto yo? claro..., pues la oveja la recibiste, seguramente, en herencia. ¿Verdad?

Cual más, cual menos,
al abuso todos propendemos.

La rosa y el amaranto

Junto a una rosa crecía un amaranto.

La primera se ofrecía espléndida y perfumada, mientras que el último mecía sus flores espigadas al capricho de la brisa.

—¡Que bella luces! Dichosa tú que eres la preferida de los dioses y los hombres. ¡Cómo admiro tu lozanía y perfume! -díjole el amaranto prendado de la rosa.

—Mi vida es muy corta, amaranto —respondió la rosa—, pues si no me arrancan, me marchito; en cambio, tú siempre estarás florido…, siempre vivirás joven.

Mientras así se expresaba, la rosa deslizó por sus pétalos unas gotas de rocío, cual lágrimas de cielo.

Beldad y hermosura,
muy poco dura.

El perro y el lobo

Para refrescarse del excesivo calor de la estación un pobre perro se tendió en las losas de una puerta.

Al poco rato, apareció el lobo obligándole a rendirse sin condiciones, pero el perro, con mucha hidalguía, le habló de esta manera:

—Mira que estoy muy flaco. Pronto se casará mi amo y en esa oportunidad engordaré. ¿Crees que no vale la pena aguardar un poquitín para disfrutar después?

El lobo convino en ello y, cumplido el plazo, volvió por el perro, a quien encontró dormido en lo alto de un cobertizo. Le preguntó por qué estaba allí y el perro dio esta respuesta:

—Duermo aquí, amigo lobo, por ser lugar abrigado. Y si alguna vez me encuentras dormido como el pasado día, no esperes las bodas del amo para devorarme.

***Oportunidad perdida,
nunca vuelve a tu vida.***

El lobo y el asno inteligente

Cierta vez un lobo hambriento se encontró con un asno de mala muerte y, sin mayor trámite, le dijo:

—¡Hola, hermano, hace tres días que no pruebo alimento y ahora te presentas como caído del cielo. Prepárate, pues, a pasar a mi panza.

—Señor, haz de mí cuanto quieras —respondió el asno—. Tú mandas y yo obedezco como fiel esclavo tuyo.

El jumento hizo una pausa y luego continuó:

—Si me comes es porque ha sonado la hora de mi liberación definitiva. ¡Cuánto esperé este momento!

Entonces, perplejo, el lobo le preguntó:

—Dime ¿qué motiva tu desesperación al punto de desear la muerte?

(Continúa)

Al instante, el asno hizo una enumeración de sus penosas tareas y, finalmente, concluyó:

—Es más, tengo que tirar del arado bajo el látigo inclemente del dueño y de los abrasadores rayos del Sol, por eso lamento la hora de haber nacido. Mátame, pero no en este camino, no sea que mis amigos, que frecuentan estos senderos, digan: "murió como un cobarde sin la más mínima vergüenza".

—¿Dónde quieres que comience mi festín? —le replicó el lobo.

—En el monte —repuso al instante el burro—, pero antes átame con esta cuerda como que soy tu vasallo y yo amarraré el otro extremo a tu cuello. Así me llevarás y comerás con mayor seguridad.

—Buena idea es la tuya y la ejecutaré según tu deseo.

¡Bueno, tú que conoces el camino irás por delante! —le ordenó el lobo.

El asno se fué derecho a la casa de su amo.

El lobo, al darse cuenta del engaño del jumento, dio marcha atrás, pero el borrico tiraba hacia delante y se armó un lío de rebuznos y aullidos que alertaron al amo, quien llamó a sus criados y todos atacaron al malvado con palos y piedras.

El lobo logró salvar el pellejo como pudo y se internó en el bosque.

El burro, viéndose libre de su captor, lanzó un estremecedor rebuzno que, llegado a oídos del lobo, lo hizo exclamar:

—Esto está bien para ti. En otra ocasión, al escuchar tus horribles rebuznos, me cuidaré de ir a tu encuentro.

**De las palabras, no el sonido,
antes bien, el sentido.**

CUARTA PARTE

Fábula	Valor	Antivalor
La madre y el lobo	Prudencia	Imprudencia *
El congreso de las vacas	Sensatez *	Insensatez
El hombre y la estatua	Amistad	Avaricia *
El cerdo y el chacal	Generosidad *	Avaricia
El becerro rebelde	Trabajo	Pereza *
El alacrán	Seguridad	Inseguridad *
Los elefantes y las liebres	Ingenio *	Lentitud
El ratoncito desobediente	Prudencia	Imprudencia *
El pescador egoísta	Ayuda	Estorbo *
El loro sabio	Cooperación *	Aislamiento
El pavo real y la mariposa	Generosidad *	Egoísmo
Las cabras salvajes	Gratitud	Ingratitud *
El asesino y la morera	Justicia *	Injusticia
La zorra desengañada	Astucia *	Desengaño
Los dos amigos y el ...	Lealtad	Engaño *
El criado negro	Realismo *	Fantasía
El talento del cuervo	Ingenio *	Lentitud
El asno y el cerdo	Trabajo *	Ocio
El cabrito astuto	Astucia *	Desengaño
El perro y la liebre	Humildad	Soberbia *
El cerdo y los carneros	Realismo *	Fantasía
El labrador y la culebra	Gratitud	Ingratitud *
El águila y el escarabajo	Justicia *	Injusticia

(*) Mensaje valorativo

La madre y el lobo

Qué malos tiempos me tocó vivir. ¿Dónde encontrar algo que aplaque mi hambre—, así se lamentaba un famélico lobo que buscaba comida.

De pronto escuchó el llanto de un niño y, al mismo tiempo, la voz de una madre que amenazaba:

—¡Si no te callas, te entregaré al lobo!

El malandrín, relamiéndose el hocico, se acomodó junto a la puerta, pensando en el banquete que le esperaba.

Cuando hubo llegado la noche, oyó decir a la madre:

—Si llega el lobo, pequeño, lo moleremos a palos.

El lobo, al escucharla, intuyó el peligro que le amenazaba y se alejó de prisa diciendo para sí:

—Esta es casa de locos, pues dicen una cosa y luego hacen otra.

Huir del peligro es cordura,
y no temerlo es locura.

El congreso de las vacas

En un congreso bovino, la organizadora de la reunión tomó la palabra y se expresó:

—¡Amigas mías, los carniceros son nuestros principales enemigos, debemos unirnos para desaparecerlos! —La moción fue aprobada con grandes aplausos.

De pronto..., una vaca sensata pidió la palabra y dijo:

—Bien, compañeras, de qué serviría alejar a los carniceros, cuando los hombres continuarán comiendo carne y podrían, otros peores, tomarnos como buena presa.

El auditorio permaneció en silencio, y la organizadora del grupo concluyó:

—Entonces haremos escuchar nuestra protesta; y se decidió perseguir el uso de la carne. Dejaremos en paz a los pobres carniceros, felicitando a nuestra compañera al hacernos entrar en razón.

**A opinión apresurada,
respuesta bien pensada.**

El hombre y la estatua

Tenía un hombre un ídolo de madera, y contínuamente le pedía que le diera riquezas y bienes:

—¡Oh bienamado! Concédeme la dicha de poseer dinero en abundancia.

Durante mucho tiempo, al amanecer y antes de acostarse, se arrodillaba ante el ídolo orando y suplicando; sin embargo, seguía cada vez más pobre.

Una tarde, cansado al fin, cogió el ídolo y lo hizo pedazos contra el suelo. Pero, cosa extraña, al romperse se derramó gran cantidad de monedas de oro, que recogió el hombre con avidez, diciendo:

—Perversa era esta estatua, pues mientras la adoraba y rogaba, nada me concedía y ahora, que la maltrato y la rompo, me regala abundante riqueza.

***Extraños caminos tienes,
para obtener tesoros y bienes.***

El cerdo y el chacal

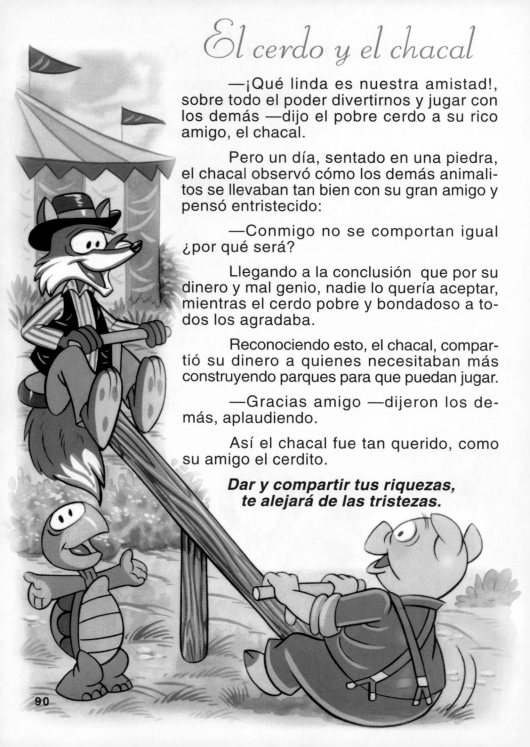

—¡Qué linda es nuestra amistad!, sobre todo el poder divertirnos y jugar con los demás —dijo el pobre cerdo a su rico amigo, el chacal.

Pero un día, sentado en una piedra, el chacal observó cómo los demás animalitos se llevaban tan bien con su gran amigo y pensó entristecido:

—Conmigo no se comportan igual ¿por qué será?

Llegando a la conclusión que por su dinero y mal genio, nadie lo quería aceptar, mientras el cerdo pobre y bondadoso a todos los agradaba.

Reconociendo esto, el chacal, compartió su dinero a quienes necesitaban más construyendo parques para que puedan jugar.

—Gracias amigo —dijeron los demás, aplaudiendo.

Así el chacal fue tan querido, como su amigo el cerdito.

**Dar y compartir tus riquezas,
te alejará de las tristezas.**

El becerro rebelde

Un labrador, dueño de una gran extensión de terreno, comenzó a realizar los preparativos para el próximo sembrado.

Seleccionó sus semillas, y para surcar el terreno sujetó al yugo un becerro con un buey para amansarle, pero el becerro hería con los cuernos al buey y tiraba el yugo al suelo.

Viendo esto, dijo el labrador al becerro:

-No solo te he destinado para que ares y labres la tierra, sino para irte enseñando y dando lecciones ahora que eres joven; pero si no quieres amansarte buenamente te sancionaré con toda severidad.

De la misma manera se debe educar y corregir a los hijos, porque el ánimo de los niños se amolda sin dificultad como la blanda cera.

Lo que de niño no aprendes,
de adulto no comprendes.

El alacrán

Un alacrán no estaba muy contento, pues vivía en el suburbio de una gran ciudad. No tenía mucho que comer excepto insectos, lombrices y otros ejemplares de la fauna urbana.

—¡Qué triste es mi vida! ¿Por qué no habré nacido en los pedregales o en las montañas? Allí tendría comida en abundancia —se quejaba para sí el alacrán.

Un día, sin saber cómo, fue a parar dentro de un bolso. Durante horas sintió que todo se movía hasta que, de pronto, dejó de vibrar y asomó su diminuta cabeza por el borde del bolso y, asombrado, descubrió que estaba en uno de esos pedregales con los que siempre había soñado.

—¡Por fin se había hecho realidad su fantasía! y emprendió desenfrenada carrera hasta lograr alcanzar las piedras más cercanas de lo que es su natural hábitat.

Quien para el campo fue criado,
en la ciudad vive desesperado.

Los elefantes y las liebres

Unos elefantes sedientos bebieron agua de un estanque y, para llegar a él, pisaron a muchas liebres.

La liebre más astuta, preocupada por esta invasión, se presentó al rey de los elefantes, diciéndole:

—Estoy aquí como embajadora del dios Chandra, dueño del estanque sagrado, para decirles que está muy indignado por beber en sus aguas y amenaza con matar a todos.

—Le pido presente mis excusas al dios Chandra y pregunte como podría aplacar su ira —replicó el rey elefante.

—No se preocupe —contestó la astuta liebre—, yo misma te llevaré donde el dios, hoy por la noche.

Al llegar al estanque y ver la Luna reflejada en las aguas, el elefante creyó que era el dios Chandra y, de rodillas, le prometió no volver a profanar el estanque sagrado.

Las liebres, ya seguras, bailaron toda la noche.

**Si usas la inteligencia,
aseguras tu existencia.**

93

El ratoncito desobediente

Una noche, cenando en su humilde hogar, un ratoncito le contó a papá. Afuera es muy divertido estar, corro y conozco muchos amigos para poder jugar.

El papá ratón se preocupó por tal situación y le dijo:

—Hijo mío, entiendo que aquí adentro sea un poco aburrido, pero ten mucho cuidado, porque los gatos están buscándonos y los humanos con trampas nos quieren matar.

Mostrándose valiente, el ratoncito, hizo poco caso de la recomendación y dos días después salió a buscar qué comer.

—¡Hummm, ese queso huele bien! Al parecer, el ratoncito no se fijó lo que había encima de él, se acercó y pronto un alambre metálico cayó.

Así el pobre ratoncillo desapareció para siempre y todo por el hecho de haber sido desobediente.

**Valentía sin obediencia,
expone tu existencia.**

El pescador egoísta

Un hombre que vivía cerca de un río, decidió ir de pesca aprovechando el día soleado que se presentaba.

Para ello había tendido sus redes, cortando el agua de una a la otra orilla para cerrar la corriente. En seguida ató una piedra a una fuerte cuerda de cáñamo, y con ella golpeaba el agua, pensando:

—Así los peces enloquecerán y al querer huir, caerán en las mallas de la red.

Mientras se imaginaba la cantidad de peces que tendría, lo vio uno de los habitantes de la vecindad, y le reprochó:

—¿Por qué enturbias el agua del río y nos obligas a todos a beber el agua sucia.

A lo que el pescador respondió:

Es que, si no enturbio las aguas, me veré en la pobreza y moriré de hambre.

**No por salir de pobreza,
dañes salud y naturaleza.**

El loro sabio

Don loro, por su hermoso y exótico plumaje, había despertado la admiración de artistas y millonarios.

Fue comprado por un hombre riquísimo, cubierto de oro y pedrería, con deslumbrantes palacios y de costosos placeres.

Un día, don loro cansado de tantos lujos y comodidades, emprendió vuelo hasta llegar a la jungla.

Felizmente fue bien recibido por los animales del lugar y, para ganarse la vida, contaba sus relatos y las maravillas que había visto.

Como el recién llegado tenía grandes dotes de orador, fue nombrado poeta y cantor del Reino de la Jungla, por haber sembrado esperanzas en los corazones de sus amigos y vecinos.

Quien con arte recita y canta,
recibe premios y encanta.

El pavo real y la mariposa

—¡Hola hermoso pavo! —dijo una alegre mariposa, cuando se encontraba volando en una granja.

—¿Ves a esos amigos tuyos, pavos también, que no tienen esas plumas tan bellas que tú y tu familia por suerte llevan?

El pavo, cansado de lo mismo, respondió:

-Si, pero esta no es la principal cualidad de un pavo real. —Sin comprender, la mariposa siguió volando; de pronto, no se dio cuenta y a un estanque la pobre cayó.

—¡Ahí voy! —El pavo se lanzó al agua y la salvó, pero al intentar salir su bella cola quedó atascada, la mariposa avisó a un amable castor, que rápidamente lo liberó.

—¡Por mi culpa, tu cola se maltrató! —triste, la mariposa expresó.

—¡Qué importa!, ahora festejemos nuestra salvación, con mi amigo castor —el pavo invitó.

La belleza es fina cualidad,
pero la bondad es de utilidad.

Las cabras salvajes

Cierto pastor tuvo la inmensa alegría de ver que sus cabras se mezclaban con otras, que vivían por el monte.

Muy contento, las encerró a todas en su corral y, como al día siguiente hubo tormenta, no las pudo sacar al campo y les sirvió forraje de su granero; pero a las cabras salvajes en mayor cantidad que a las demás.

—Así no abandonarán el rebaño —decía—, incluso se añadirían otras cabras del monte.

Grande fue su sorpresa cuando al llevarlas al pasto, las cabras salvajes, escaparon. El pastor les echó en cara su ingratitud, más ellas le contestaron:

—Si cuando llega una cabra nueva la tratas mejor que a las antiguas, pronto nos tocará pasar hambre.

Quien por nuevo te aprecia,
por viejo te desprecia.

El asesino y la morera

Un asaltante de caminos sorprendió a un viajero y lo mató para despojarle de sus pertenencias.

Varios hombres que observaron lo ocurrido iniciaron la persecución del malvado para darle ejemplar castigo; mas el asesino corría como alma que lleva el diablo.

Otros viajeros, que venían en sentido contrario, lo detuvieron al notar que tenía la ropa manchada con sangre.

—¿Por qué vienes con esas manchas? —preguntaron al fugitivo.

—No es sangre. Acabo de bajar de una morera.
Mas al llegar los primeros perseguidores, lo aprehendieron y lo colgaron en la morera.

—Con gusto te sirvo de patíbulo —dijo el árbol al moribundo—, porque eres un despreciable bellaco. Cometes un crimen y tratas de imputarme su sangre.

Dar al malvado castigo justo,
siempre dará mucho gusto.

99

La zorra desengañada

Hambrienta estaba la zorra que cazó con engaños a un gallo mientras cantaba; y con él en la boca, echó a correr.

Varios hombres que espectaron la escena corrieron tras la zorra, gritando: ¡Suelta la presa, ladrona! El gallo al oír tan mayúsculo alboroto, dijo a la zorra:

—¿No respondes a los hombres? Diles que no soy de ellos, sino tuyo; que no te llevas su gallo, sino el tuyo!

Entonces la zorra, soltando al gallo, les respondió:

—¡Yo llevo mi gallo y no el suyo!

El gallo, aprovechando la controversia, voló a un árbol, de donde explicó a la zorra:

—Señora, soy de los hombres y no tuyo.

La zorra, víctima del engaño, se lamentaba:

—¡Oh, boca maldita, cuándo aprenderás a callar!

En este mundo mundillo,
hay que ser más cuerdo que pillo.

Los dos amigos y el carnicero

A la carnicería del mercado fueron dos amigos para hacer sus compras.

Mientras el carnicero atendía a una cliente, uno de los muchachos, en son de broma, tomó unos trozos de carne y los puso en el bolso del compañero.

Cuando el dueño se dio cuenta, gritó:

—¡Mozos pícaros! ¡Devuelvan la carne robada!

El amigo inocente protestó:

—¡Señor, yo no he sido; lo juro por los dioses!

El bromista, que no tenía la carne, dijo:

—¡Yo también juro que no lo tengo! Puedes buscar mi bolso, si prefieres.

El carnicero, no sabiendo qué hacer: exclamó:

—¡Está bien! Pueden engañarme con falsos juramentos, pero no podrán librarse del enojo de los dioses.

**Quien se burla del prudente,
algún día se arrepiente.**

El criado negro

Cierto sujeto tomó por criado a un negro y, como era la primera vez que veía un hombre de color, creyó que aquel color oscuro se debía a su falta de limpieza.

Métanlo en una cuba de agua dijo el amo a los otros criados, lávenlo y refreguenlo cuanto puedan hasta que quede blanco como nosotros.

Los domésticos, poniéndose a la obra, enjabonaron y frotaron una y mil veces al negro. Pero el criado seguía tan negro como antes.

Tan exagerado aseo provocó al infeliz una pulmonía fulminante, que casi se lo lleva al otro mundo.

**Del que no sabe ni la "a",
¿qué se esperará?**

El talento del cuervo

Un cuervo que atravesaba el desierto en día de sol abrasador, languidecía de sed.

Por casualidad divisó un cántaro abandonado.

Al aproximarse vio, con alegría, que contenía un poco de agua, pero como el artefacto tenía la boca muy estrecha, el pajarraco no podía beber, aumentando su desesperación.

—Debo hacer funcionar el ingenio —se dijo—, si no aquí dejaré plumas, huesos y pellejo.

Luego de breve reflexión comenzó a llenar el cántaro con pequeñas piedras que levantaba con el pico. De esta manera el agua iba subiendo y el cuervo, al fin, pudo saciar su sed.

A quien al talento recurre,
ningún mal le ocurre.

El asno y el cerdo

Un asno maldecía su destino y, mientras miraba con envidia la suerte de su vecino, un cerdo muy gordito, para sí mismo decía:

—"Yo trabajo y trabajo cada día y no recibo más que palos y más palos. En cambio, a este cerdo que no hace nada, le halagan y lo bañan a porfía. Cuando yo solo como paja, a él lo alimentan con harina, frutas y verduras".

Así, mientras el asno se lamentaba de su suerte, observó que un hombre, con cuchillo en mano, se acercaba a la pocilga del cerdo y, sin más miramientos, le dio fin sangriento para luego ser guisado y servido en una rica cena.

Entonces, reflexionando el asno, se dijo:

—"Si esto es el resultado del ocio y recibir regalos, al trabajo me aferro y a los palos".

**La buena ventura,
no siempre dura.**

El cabrito astuto

Un cabrito, que salía de paseo por el campo, tuvo la mala suerte de encontrarse con un lobo, que de inmediato lo atrapó.

El cabrito, al verse prisionero, le imploró:

—Señor lobo, ya que la muerte me aguarda, toque su merced la flauta, que yo bailaré para distraerlo un ratito.

Aceptado el pedido, el lobo se puso a tocar la flauta, mientras el cabrito bailaba alegremente. Mas, oyendo los perros la música, acudieron a la carrera.

El lobo, al ver a los canes, no tuvo más remedio que escapar, dejando libre al bailarín.

***Haz bastante ruido,
y sacarás partido.***

El perro y la liebre

Por esta hermosa y gorda presa, el amo me recompensará con creces —se decía un perro cazador que había atrapado una liebre.

En espera de que llegara su dueño, el perro mordisqueaba y lamía el hocico de la liebre, actitud que tenía en zozobra a la roedora, por lo que, muy molesta, exclamó:

—No seas ambiguo en tu proceder, o me besas o me muerdes, para darme cuenta si eres amigo o enemigo, y termina de una vez con este tormento.

El mastín, naturalmente, es su enemigo, pues le dio feroz dentellada que la dejó sin vida.
Así proceden los poderosos con los indigentes y débiles.

Es difícil evitar,
del fuerte el abusar.

El cerdo y los carneros

Un cerdo, desde pequeño, se crió junto a unos carneros que triscaban los pastos de la comarca.

Un comerciante en cerdos observó el rebaño y se aficionó del marrano.

—Te compro el cerdo —dijo al dueño del rebaño—. Tráeme al animal para examinarlo de cerca.

El pastor reunió el hato y cuando trató de coger al cochino, éste berreó ruidosamente.

Los carneros reprocharon su conducta y añadieron:

—A nosotros nos toman cuando gustan y no hacemos tanto alboroto.
Entonces el cerdo, de inmediato, respondió:

—Claro, pero no es con el mismo fin. A ustedes los toman para trasquilarles la lana, y a mí, en cambio, me atrapan para sacrificarme y saborear mi carne.

Tu protesta no se empaña,
si la razón te acompaña.

107

El labrador y la culebra

Un labrador, al retornar de sus faenas, encontró en unos matorrales una culebra medio muerta.

La levantó, la puso en su pecho y bien abrigada la llevó consigo para cuidarla.

Toda la familia del labrador prodigó solícito cuidado al reptil y éste volvió a vivir.

En cuanto la culebra recuperó las fuerzas, silbó y atacó a la esposa de su salvador y a sus hijos.

Al oír los gritos, acudió el hombre y exclamó:

—¡Miserable! ¿Ese es el pago que nos das?

Y, tomando una hacha, partió a la culebra en mil pedazos, al mismo tiempo que decía:

—Siento que mueras una sola vez, porque una muerte es poco para ti, detestable ingrata.

**Hacer bien a gente ruin,
tiene buen principio y mal fin.**

El águila y el escarabajo

Una águila, incitada por su gran voracidad, daba vueltas y vueltas por los cielos esperando divisar alguna presa para aplacar su hambre.

Al final del día, cuando se dio por vencida y dispuesta a regresar a su nido con el estómago vacío, salió a su encuentro una pequeña liebre que, al verse perseguida, comenzó a correr desesperadamente en busca de ayuda.

—¡Auxilio! ¡Socorro! —gritaba la liebre.

—¡Que ilusa eres! ¿Crees que podrás escapar de mis garras? —dijo el águila jactándose de su velocidad.

Un escarabajo que había escuchado los gritos y lamentos del roedor, salió en su defensa increpando al ave:

—¡Perdónale la vida a esta pobre indefensa que nada te ha hecho!

—¡El hambre no puede esperar! ¡Retírate de mi presencia! —respondió la reina de las aves. Desdeñando la súplica del escarabajo, devoró a la liebre.

(continúa)

El escarabajo, queriendo castigar la mala acción del altivo pájaro, ubicó su nido y, aprovechando la ausencia del águila, hizo rodar sus huevos estrellándolos en el suelo.

Al regresar el ave de su vuelo matutino y, al advertir la desgracia que le había ocurrido, se quejaba amargamente:

—¡Ay pobre de mí! ¡Ese insignificante bicho del escarabajo es el causante de mi dolor! Y, desesperada, pidió audiencia al rey de los animales para pedirle un lugar donde volver a poner sus huevos sin que sufran estragos, a lo que el león contestó:

—¡Yo cuidaré de tu nido y tus huevos! Déjalos a mi lado y nadie se acercará a ellos con malas intenciones.

Pero el astuto escarabajo, distrajo al león con una bola de barro que dejó caer sobre su cabeza y corrió apresuradamente hasta el nido del águila destruyendo nuevamente sus huevos.

El águila, al ver lo sucedido, increpó al rey de la selva sobre su descuido a lo que éste contestó:

—Amiga, no hay enemigo pequeño.

INDICE

PRIMERA PARTE

SEGUNDA PARTE

TERCERA PARTE

CUARTA PARTE

EDICIONES COQUITO
Plan lector

FÁBULAS DE SAMANIEGO - A5

FÁBULAS ESCOGIDAS - A5

FÁBULAS UNIVERSALES - A5

FÁBULAS DE LA FONTAINE - A5

FÁBULAS DE IRIARTE - A5

LEYENDAS UNIVERSALES - A5

FÁBULAS DE ESOPO - A5 (6 volúmenes)

FÁBULAS DE ORO - A4   (12 volúmenes)

CUENTOS DE ORO - A5 (12 volúmenes)

CUENTOS ESCOGIDOS - A5 (6 volúmenes)

CUENTOS FANTASÍA - A4 (12 volúmenes)

AESOP'S FABLES (Inglés) - A4